KB094760

웹툰 민작 · 원작 리아란

2
괴물 공작가의
계약 공녀
웹툰 민작 · 원작 리아란

Contents

Chapter 13

불 속에 넣어보자.
그럼 살기 위해 힘을 쓰겠지. 그때 확인하면 된다!
저것의 힘이 어느 정도인지! 저것의 가치가 어느 정도인지!
…하지만 어떻게 넣지?
안 그래도 요즘 쓸데없이 경계심만 높아져서…
똑똑
후작님, 실례하겠습니다.
신전?
마님께서 이번 신전 가는 일에 대해 여쭤볼 것이 있다고 하십니다.
엉금

네,
늘 가시던 기도일이
내일 모레입니다,
후작님.
그런 건 알아서
처리하라고 해!
지금 바쁘단 말이—
아니,
신전, 가야지.
신에게 기도를
드리는 것보다
더 중요한 일이
뭐가 있겠나.
털썩
레슬리도
데려가자고.

…아니
잠깐만,
?
신전…
신전이라….

참,
오늘 신전에 가는
날인 거 아시죠?

신전…
또 안 가신다고
하는 건 아니겠죠?
가문의 정기 기도일은
중요하잖아요!
거기다 오늘은
후작님께서, 아가씨
혼자 마차를 타고 가셔도
괜찮다고 하셨어요.

어휴, 어쩜 이리도
다정하게 아가씨를
생각해 주시는지!
그러니까 이제 그만
아가씨도—
갈 거야.
휙—
어디가 되었든
이 저택만 아니면
숨쉬기가 편할 것 같아.

덜컹
진짜로 혼자 타게 해줬네.
덜컹

조금 이상한 냄새가 나긴 하지만…
털썩
오랜만에 르아도, 후작도 없으니까 정말 편하다.

…전에는 어떻게 후작가에서 살았을까, 그것도 12년이나.
고작 며칠 지났을 뿐인데도 빨리 공작가로 돌아가고 싶어.

덜컹—
멈칫
?
…??

우르르
여, 여보?
이게 무슨 일이에요?

당신! 제발
말 좀 해요!

도대체 요즘
왜 이러는 거예요!
그 아이 편을
들지 않나, 갑자기
신전 방문도
취소하질 않나!

거기다 아까
그놈들은 왜 부른
거예요?!
흉흉해 보이는
도끼는 또 뭐고!!

걱정 마,
다 잘될 거야.
나 혼자
잘되자고 이러는 거
아니잖아.
당신과 엘리를 위해서
내가 이러는 거야.

도끼는 불을
대비해 들게 한 거니
무서워할 필요 없어.
씩
씩
불…?

…설마?
어휴, 뭐야?
저 냄새 나는
마차는?

응? 아가,
뭐라고 했니?
아, 아무것도
아니에요, 어머니.

……

후후.
다른 사람들은 괴물 공작가라고 부르는 곳인데, 나는 못 가서 안달이 났네.

어서 한 달이 지나면 좋겠다…
오늘 기도에 시간이 빨리 가게 해달라고 해볼까?
덜컹

덜컹!

스륵
뭐지?
왜 멈춘 거야?

신전으로 가는 길은 그대로인데?

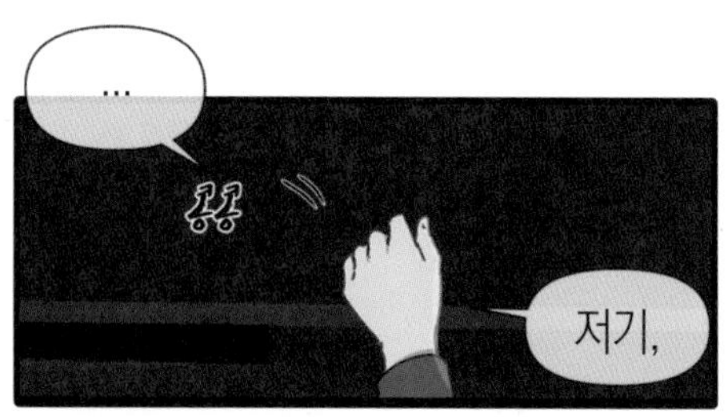
...
콩콩
저기,

저기- 무슨 일이 생긴 거야?
콩콩
콩
왜 대답이 없어?

오싹—
더듬
더듬

철컥!

열리지
않아!
철컥
철컥
퉁
퉁

이상해.
뭔가
잘못됐어!
창문으로라도
나가—
휙

화르륵
!!

비틀
흐아…
아,

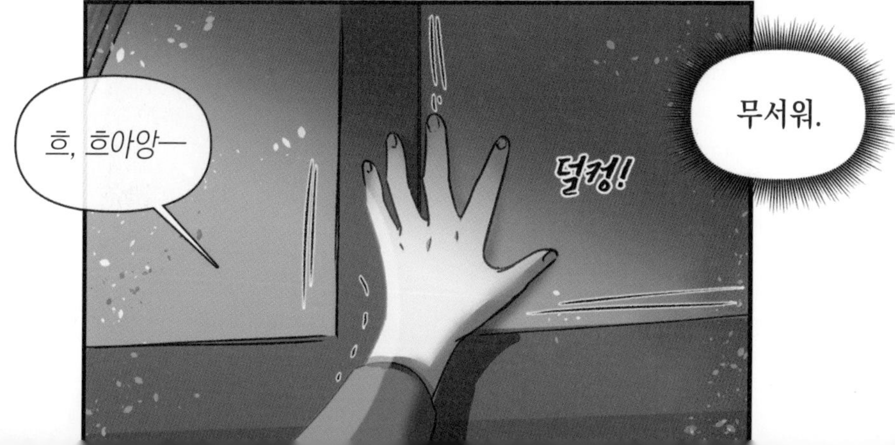
무서워.
덜컹!
흐, 흐아앙—

어떡해.
털썩
힘,
힘을
쓰면…!

아주 조금만,
문고리를 부술
정도만 쓰면—
아,

후다닥

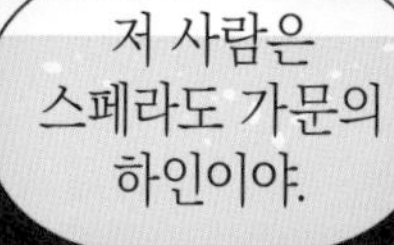
저 사람은
스페라도 가문의
하인이야.
후작이 벌인
짓이구나.
내 힘을
확인하려고!!

콜록!
콜록!
언제까지 나를
괴롭히려는 거야?

어질—
도대체
언제까지??

털썩
헉
헉
죽는 거야?
이렇게 죽어버린다면…
그래,
차라리
스멀
여기 있는 전부를 먹어치워 버릴까?
전부 다 없애버리고…

누구지?

괜찮나?

베스라온
님,
앗
이봐!
꼬옥-

흐아,
위험했다.
단장님,
괜찮으십니까?
아무리 급해도
맨손으로 문을
뜯으시면
어떡합니까?
그건 그렇고
아까
그 여자애 말이
정말이었을
줄이야….

혹시
기사님이신가요?
그렇습니다.
아가씨, 무슨
일이신가요?
…
…신전으로
가는 길에 마차가
불타고 있어요.
네?
신전이요?
그걸 어떻게
알았지?
불쑥
흠칫
어, 어쩌다
알게 됐어요!
그게 중요한가요?
마차가 불타고
있는 게 중요하지!
그러니까
빨리 가서
그 아이가 힘을
쓰기 전에 구하란
말예요!

그 아이?
힘?
후다닥
—!!
어? 어어? 잠시만요! 어디 길인지는 말해 줘야죠!
'신전', '불',
밀색 머리카락…
'그 아이가 힘을 쓰기 전에' 라고…?

도대체 이게
무슨 일이랍니까?
누구 마차죠?
죽이려고 이런 것
같은데.
세상에, 이렇게
작은 아이를…

꾸욱—

……

Chapter 14

부스럭
!
누구냐!
저벅

아가씨를
돌려주십시오.

저희 아가씨를
살려주셔서
감사합니다.
어디의
누구신진 모르나,
나중에 감사 인사를
전하겠습니다.

슥

성큼

콰악
크억?!
켁, 켁!
무, 무슨 짓을—
신기해.

아무리
날씨가 춥다지만
땀을 흘린 흔적도
없고,
움찔
움찔
오히려
몸이 차갑군.

거기다
도끼라니.
마차에 불이 나서
사람을 꺼내야 될 걸
예상한 듯하군.

안 그런가?

젠장!
이, 이거 놓—
파앗
큭,
무, 무슨 상관입니까!
이건 어쩌다 난 사고일 뿐이죠. 도끼도 혹시 몰라서 가져온 겁니다!

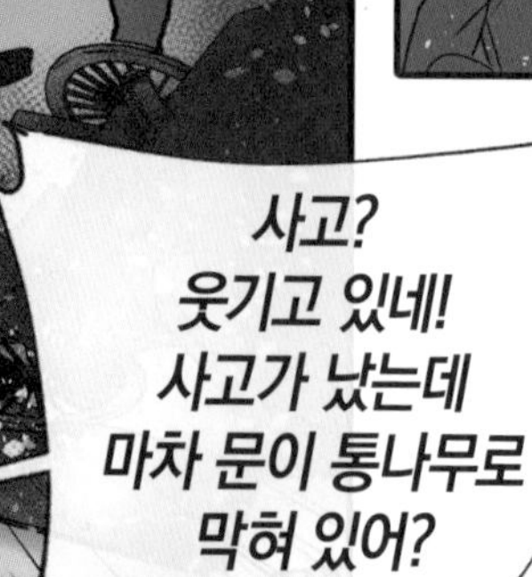
주춤
사고? 웃기고 있네! 사고가 났는데 마차 문이 통나무로 막혀 있어?
거기다 걸쇠까지 잠겨 있고??

무슨 상관이야!
우리 집
아가씨니 내놔!
이 납치범들아!
퍽
납치범?
이 살인마
놈들이!

납치범이라고?
우리는
제3황실 기사단,
린체 기사단이다.
그리고 나는
그 기사단장인
베스라온 라엔
셀바토르.

헉─?!
콱

나와 내 기사들을
납치범이라고 했지.
그 말에
책임질 수
있는가?
감히 우릴
모욕하다니!
그대의 주인을 말하라!
하인을 잘못 교육한 죄,
그대의 주인이
물어야지!

우와악—!!
후다닥—
쫓을까요?
…아니,
짐작 가는 바가
있어.

쓱—
일단 이 아이를
신전으로 데려가는
것이 먼저다.

그런데 단장, 이 아이를 아시는 눈치신데요?
……

내 동생.

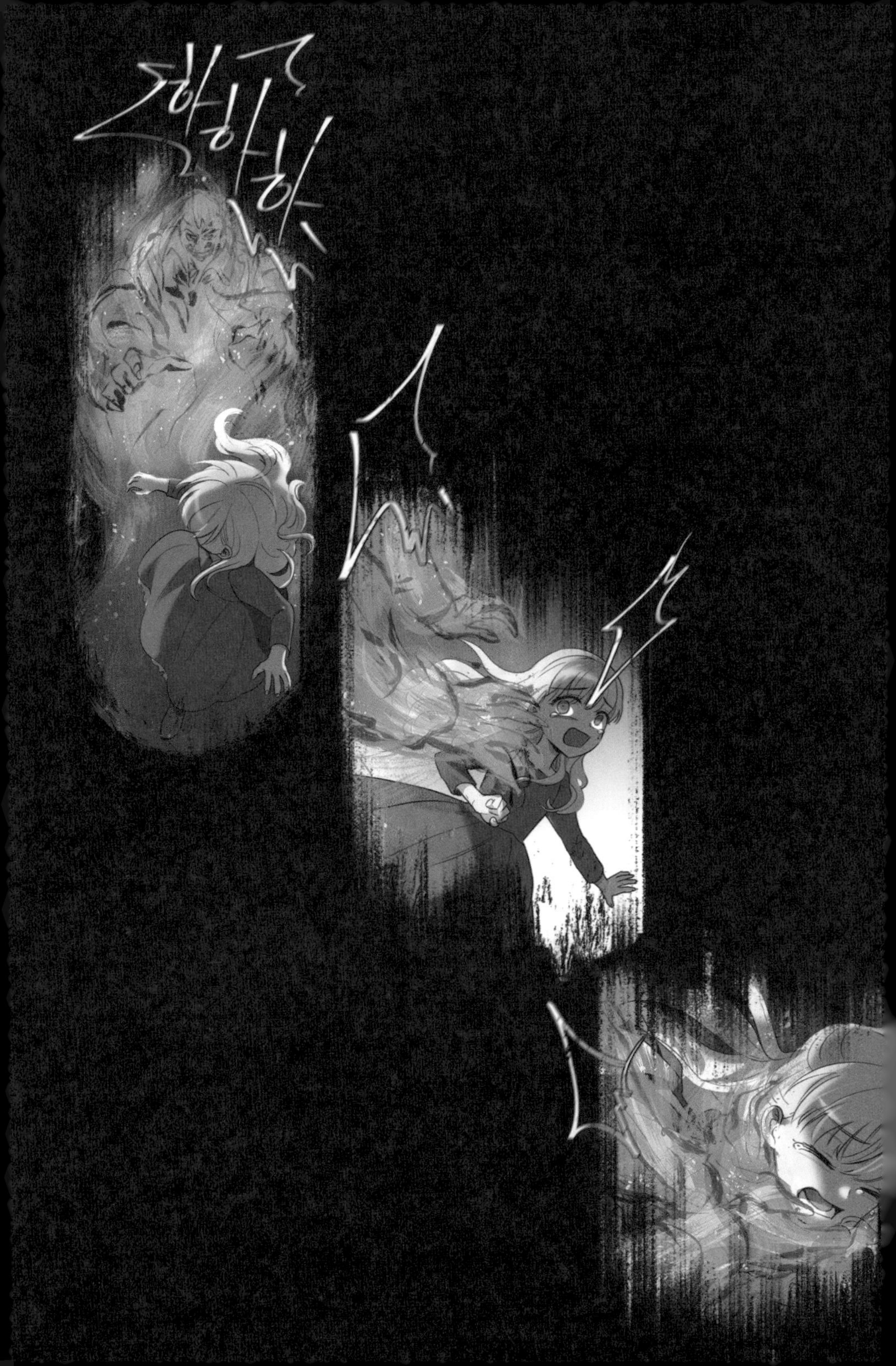

아악!!!
여기는 어디지?
나는 불 속에… 아니, 아니야.
누군가 나를 구하러 와줬어—
일어났나요, 레슬리 양?
베스라온 님이… 절 구해 주셨군요.
그래요, 내 아들이죠.
화상이 심하진 않지만, 그래도 사제들이 다녀갔어요.
자, 이게 잠을 푹 잘 수 있게 도와줄 거야.
레슬리양에게 지금 필요한 건 휴식이거든.

쓰다!
자,
이것도.

쏙
아,
그때 그
과자⋯.

감사 인사를
전해 드려야
하는데⋯
내가 전해 줄 테니
자요, 레슬리 양.
⋯하지만

지금 자면⋯
아까 그 꿈을
또 꾸지 않을까?
꿈뻑
공작님,
우리는
계약 관계인
거지요⋯?

잠들 때까지
옆에 있어 주셨으면
좋겠다.
그럼,
계약된 관계지.
그렇구나…
다행이다.
책에서 봤어요…
계약은… 꼭 지켜야
하는 약속이라고,
반드시
지켜야 하는 약속을
계약이라고 한다고…
…
그래서 저 작은 게
계약을 하자며
나를 찾아왔구나.
그러니까 공작님은…
계약에 따라서
제 편인 거지요…?
저를 불 속에…
안 넣을…
그래요, 레슬리 양.
나는 레슬리 양과의
계약에 따라서
그대 편이에요.

그러니까
푹 자요, 레슬리 양.
잠들 때까지 옆에
있어 줄게요.
…
아…
공작님의 손.
…따뜻하다.

끼익—
어머니,

손은?
사제에게 보였더니
금방 나았습니다.
그래.
…잘했다,
베스라온.

—
으득
스페라도 후작은
선을 넘어버렸어.
제대로
미친 것 같더군요.
마차에 불을 지를 줄은
몰랐습니다.

하지만 예전에
내 할아버님께서
말씀하셨단다.
스페라도 가문의
차남과 차녀는
이상하게 일찍 죽는
아이들이 많다고.

그런 얘기가
있었습니까? 저는…
잘 모르겠습니다.
기우뚱
최근에 전혀
그런 일이 없었고,
할아버지께서도 예전
일이라고 하셨으니
거기다
남의 가문 일을
우리가 신경 쓸 일도
없었고 말이야.

하지만
그게 걸렸단
말이지….
톡
톡
무엇 때문에
저렇게 작은 아이가
이토록 필사적일까?

내가
스페라도 후작가에
다녀와야겠다,
베스라온.

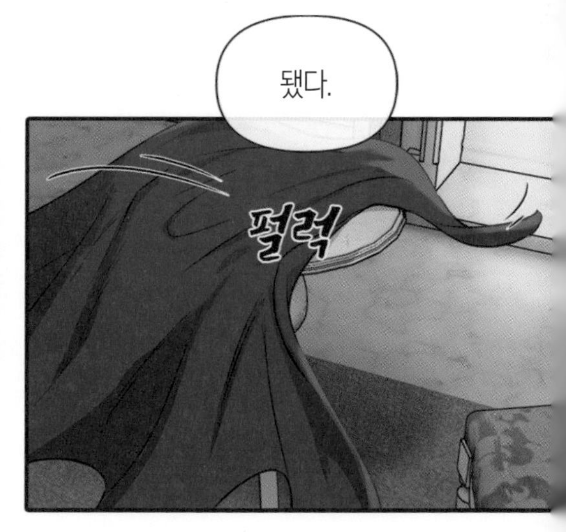
됐다.
펄럭

하아
후,
잘한 거야.

그래,
난 잘한 거야.
잘…
한 거겠지?
실례합니다,
아가씨!

파박
뭐야?
세상에 아가씨!
지금 밑에서
난리가 났어요!
…무슨 일인데?
그게—

후작님이 화가
단단히 나셔서
집안이 아주
뒤집히고 있어요!
타닥
타닥
멍청한 놈들!
이 쓸모없는
것들아!
움찔
와장창!!
그래서
어디 갔어?
그 아이는 어디로
갔냐고!
크악! 소, 손!
내 손이…
대답하라고!

그, 그… 린체의 기사들이라고 했습니다.
덩치 큰 놈이 자신을 '베스라온 라엔 셀바토르'라고 했습니다.
주인님, 그만, 제발…
셀바토르? 셀바토르 공작가??

그 정도 집안이라면 아버지도 쉽게 건드릴 수 없는 곳이잖아?
―아니,
하필 그런 사람한테 부탁했다니…
나중에 무슨 일이 터지는 건 아니겠지?
그 전에 레슬리 고것은 여기 돌아오려고 하지 않을 거야.

제발
돌아오지
말라고…!

안녕,
제물?

시끄러워!
엘리 아가씨?
그래, 차라리 돌아오지 마!
그게 너도 나도 좋잖아??
그것은 돌아오지 않으려고 할 거라고!!
엘리 아가씨.
무슨 일이야? 지금 아버지께 가는 건 별로 좋은 일이 아닐걸.
…
셀바토르 공작께서 방문하셨습니다.
셀…바토르 공작이?

셀바토르라면 레슬리를 데려갔다는 가문이잖아!
왜, 왜??

그걸 저도 전혀 모르겠습니다. 그저 후작님과 할 말이 있으시다는 말씀 외에는….
끼익

제국의
고결한 수호자,
셀바토르 공작님을
뵙습니다.
도각
도각
나도
만나서 반가워요,
엘리 데아른
스페라도 양.
도각

속을
떠보려고 온 건데
…가능할까?
흠…

도각
뭐가 이렇게
크담??
실례지만 나이가
어떻게 되나요,
스페라도 영애.
올해 열다섯이
되었어요.

…크네요.
나이에 비해
커 보여요.

Chapter 15

이런, 기다리게 해드려 죄송합니다. 셀바토르 공작님.

제 딸아이 일 때문에 오신 거군요.

그나저나
제 딸아이는
어디…
달칵
스페라도 후작.

…예?
꿈틀

정말로 그 아이가
당신의 딸이 맞습니까?

그럼요, 무슨
오해가 있었던
모양입니다.
그 아이는 제
둘째 딸이 맞습니다.

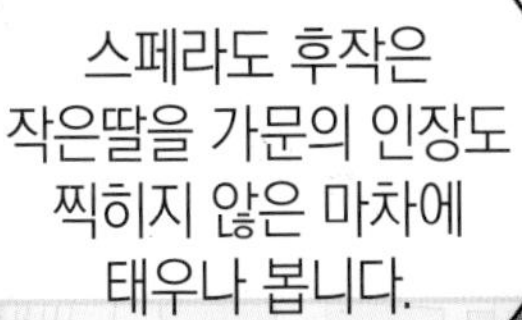

스페라도 후작은 작은딸을 가문의 인장도 찍히지 않은 마차에 태우나 봅니다.
그 아이가 같은 마차를 타고 싶지 않다고 하는 바람에 급하게 작은 마차에 태운 겁니다.

공작께서도 두 아이를 키워보지 않았습니까?
으레 그 나이쯤 되면 부모의 말에 반항하는 법이지요.
거기다 마차 역시 그 아이가 고른 겁니다. 고집이 너무 강한 아이라 저도 종종 애를 먹습니다.

아름답게 잘 만들어진 다른 마차를 그 어린아이가 전부 무시하고,

가장 작고 기름을 먹어 악취가 풍기는 마차를 선택했다고요.

참! 후작,
아름다운 따님을
두었더군요.
움찔
늘 자랑하실 만한
따님이었어요.
엘리 데아른 스페라도 양
말입니다.

셀바토르 공작저
아니, 황실 못지않게
고풍스럽고 우아한
저택이에요.
으쓱
뭐, 그렇지요!
저희 스페라도 저택은
역사가 아주 깊은
저택이니까요.

후작을 기다리는데
대신 말동무를 해
드리겠다 하더군요.
저는 그 대신
후작이 오기 전까지
저택을 구경시켜
달라고 했죠.

…?
후작은 언제나
황궁에서 그랬지요,
자신처럼 자식 사랑이
지극한 아비는 드물다고.
스페라도 영애를 위해
드레스 가게 하나를 전부
구매했다는 소문을 듣고
저도 참으로 놀랐습니다.
그…랬었지요.
그런데
참 이상하지요?
이렇게 큰 저택에
아이의 방은 하나니.

후작의 말이
맞다고 생각했어요.
스페라도 영애를 위한
옷 방에, 서재에,
아름다운 온실에…
너무도 많은 것이
이 저택에 있었어요.
그런데,

다른 아이를 위한 것은 하나도 없더군요.
이 저택을 돌아다니며 다른 아이의 옷 한 벌, 신발 한 켤레를 발견하지 못했어요.
이 저택에 사는 아이는 단 한 명인 것처럼 말이죠. 참 이상하지 않나요, 후작?

까득
저한테 무슨 말을 하고 싶으신 겁니까?

트라 베쉬 스페라도 후작, 정말 그 아이는 당신의 딸이 맞나요?
다른 용도로 키워진 게 아니라?

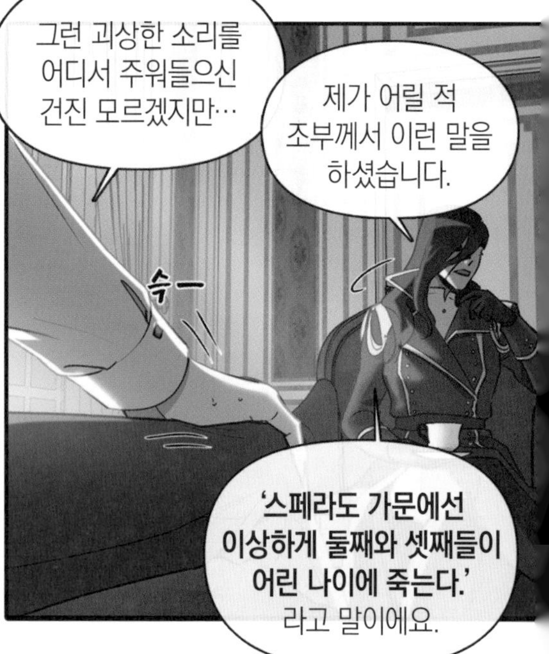
그런 괴상한 소리를 어디서 주워들으신 건진 모르겠지만…
제가 어릴 적 조부께서 이런 말을 하셨습니다.
스-
'스페라도 가문에선 이상하게 둘째와 셋째들이 어린 나이에 죽는다.' 라고 말이에요.

그리고
그 아이들은 전부
은발이라고 했습니다.
파악
도대체
하고 싶은
말이 뭐야…
벌떡
도대체 어디까지
알고 있는 거야!

도박을 걸어봤는데 참 쉽게도 넘어오는군.

죽은 아이들이 전부 은발인지 어떤지 모른다.

할아버님께서도 거기까지 관심을 가진 건 아니셨고.

하지만,

부, 불…

살려주세요! 제발…

무서워, 불… 무서워…

굳이 알아보지 않더라도…

하지만
하나는 알지.
그대가 레슬리 양을
딸이 아니라
다른 용도로 키웠으며
주춤
몇 번이고 죽이려
한 것을 말이야.

내, 내 딸이야!
자식은 응당 부모의 것이지.
주춤
그러니까 내가 그 아이를 어떻게 하던 그건 내 마음이야!

별 개소리를 다 듣는군.
올해 들어본 말 중에서 가장 말 같잖은 소리야.

당장 그 아이를 데려오지 않으면,
풀썩
기사들을 이끌고 셀바토르 공작저에 쳐들어가겠다! 그리고 결투를 신청해 그대를 죽이겠어!

스윽
움찔
...
슬쩍
부디 그래 주길,
스페라도 후작.

분명 그날은
즐거울 거야.
후두둑
내가 직접
맨손으로
그대의 목을
부러트릴 거니까.

휙
그날을
온 마음을 다해
기다리고 있겠어요,
스페라도 후작.

재판, 재판을
걸 거다!
황제 폐하께
말해 재판을 걸어서
내 것을 되찾을 거야!
우당탕!
흠, 재판이라.

그것도
즐겁겠네.

깜빡
어떻게…
된 거지?

흠칫-
아니야,
난 살았고
그건 꿈이야.

그러니까
그때…
베스라온
님.
누구지?
저를 구해
주셨군요
옆에 있어 주셨으면
좋겠다
그래요 레슬리 양.

화악
어린애도 아니고,
잠들 때까지 옆에
계셔주시면 좋겠다고
그러다니…!
내가 그때
뭐라고 했더라?
이상한 말
한 건 아니겠지??

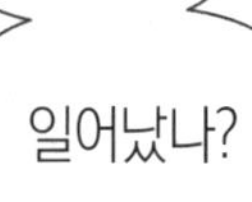

—
일어났나?
깜짝!

후다닥!

도로롱—
코오—
끼익—

아직 자는 모양입니다.
아, 베스라온 님 목소리다!

그래? 아구,
이 작은 눈가가
짓물렀네!
처음 듣는
목소리…
누구지?

후작, 이 미친 새끼!
전쟁터엔 안 나오나?
그럼 실수인 척 모가지를
확 따버릴 텐데.
한창 분란 중일
때도 용병과 기사를
사 보냈던 자가
그럴 리가요.
살짝
얼마나 무서웠으면
이렇게 됐을까.

앗!

일어났구나!

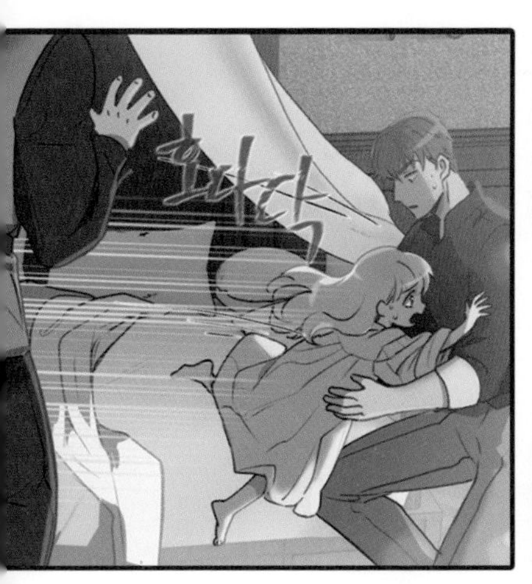
후다닥

괜찮아.
토닥
우리 아버지야.
아, 아버지…

침울
내 얼굴이…
많이 무서운가…?

레슬리 양,
이러면 좀
괜찮은가…?

아, 망토를
뒤집어 써볼까?
흠칫—
훌
렁
…곰
같은데.

키득

후후.
깜빡

저렇게 큰 어른인데
나한테 맞춰주려는 건
난생처음 봐.

안녕하세요,
레슬리 스페라도
입니다.
꾸벅
무섭지 않아.

…조금
부담스럽긴
하지만.

쑤욱
나는 사이레인
델파 셀바토르란다.
아셀라 벤칸
셀바토르의 남편이자,
베스라온과 루엔티의
아버지지.

우리 집에
온 걸 환영한다,
레슬리 양.

Chapter 16

맛있어…!
흐뭇
잘 먹는구나.
그래도 막 일어났으니 좀 더 영양가 있는 것을 먹으면 좋을 텐데…

벌떡—
지금이라도 고기 몇 점을 가져다줄까?
사이레인 님.

아까도 말씀드렸다시피, 레슬리 아가씨는 이제 막 일어나셔서 고기 같은 기름진 걸 드시면 탈이 나실 겁니다.
나나 저놈이나 다쳤을 때 고기를 먹어도 아무렇지 않았는데…?

그건 사이레인 님하고
베스라온 님이시니까
가능한 일이지요.
레슬리 양은
'평범한' 여자아이라는
점을 다시 상기하시고
앉으세요.
쭈굴
저,
근데 이것도
너무 맛있어서
좋아요.

치즈도 들어가 있구…
소스도 너무 맛있고
속에 버섯도 들어 있어서
너무 맛있어요.
그럼 내가 내려가서
오믈렛을 좀 더
가지고 올까?
벌떡
…아버지.

뭐, 이놈아!
사흘이나 쓰러져 있던
아이에게 좋은 것 좀
먹이겠다는데!
방금 제나 집사가
말하지 않았습니까.
…!
저기,
제가 사흘이나
잠들어 있었단
말인가요?

그래,
사흘 좀 넘게
잠들어 있었단다.
사흘씩이나…
어쩐지 몸에 힘이
안 들어가더라니.
달칵
그런데 그동안
스페라도 가문에서
아무 일도 없었나요?

분명 가만히
있지 않았을 텐데…
후작은 목적을 위해선
무슨 짓이든 하잖아.
어떻게든
날 되찾으려고
발악했을 거야.
아무 일도
없었단다.

씨익

우리
어여쁜 부인께서
손수 조지고
왔거든.
사이레인 님!!

아버지…
응?
왜??
?
'조지다'?
무슨
뜻이지?

…여긴 후작가가
아니니까 질문해도
혼나지 않겠지?
저어,

'조지다'가
무슨 뜻이에요?
아.

어…
그러니까, 내 말은…
째릿
모가지를 똑 부러트린다는―
팍

베스라온 님, 조진다는 게 모가지를 똑 부러트리는 거예요?
모가지는 목을 나쁘게 말하는 거 맞죠?

끼익―

앞으로
조심할게~!!
우어엉ㅡ
그런 나쁜 말은
잊어라, 알았지?

음… 아버지는
용병 출신이셔서
때때로 말이 좀 거칠게
나갈 때가 있어.
끄덕
그렇구나…
공작님과는 어떻게 하다
결혼하시게 된 걸까?

그럼 공작님이
후작의 목을 따…
아니, 잘라버린
건가요?
아니, 아니!
붕
붕

그냥 처음부터
말하자면,
스페라도 후작이
너를 찾으러
이 저택에 왔었다.

그 전에
어머니께서
후작가에 직접
다녀오셨거든.
석
공작가 문앞까지
당당하게 찾아와선
납치한 딸을 내놓으라며
난동을 부리더군.
그 때문인지,
후작이 아무래도
너를 이곳에서
돌려받지 못할 거라
확신한 모양이야.
…길드에서 고용한
납치 전문가들을
데려와서 말이지.
마침 어머니 혼자
저택에 계실 때라
더 자신만만했던
것 같은데…

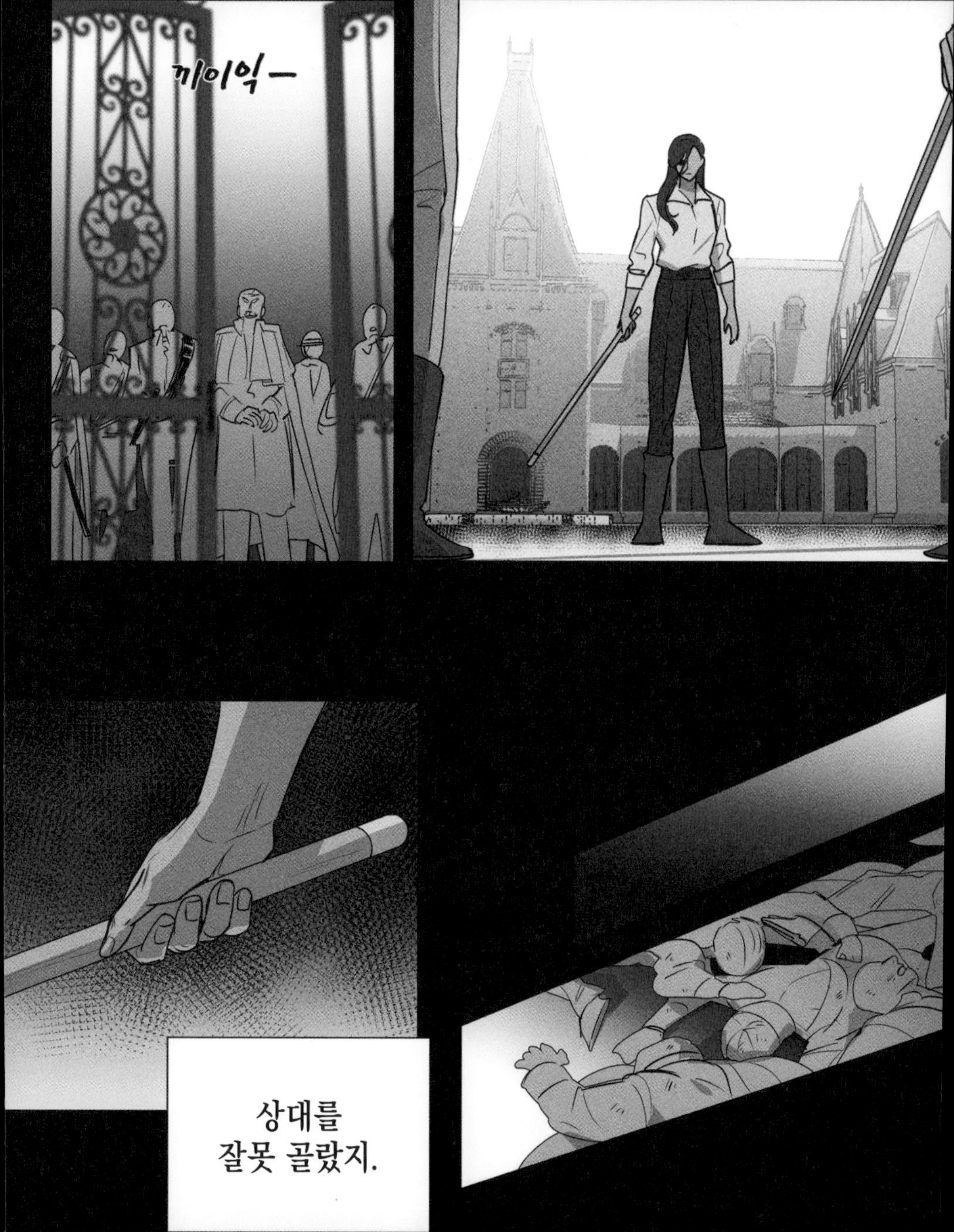
끼이익—
상대를
잘못 골랐지.

우드득
또 이딴
더러운 짓을
벌이면
다음엔 목이네,
스페라도 후작.
끄아아아악

…그랬다는
소리다.
툭

팔을
부러트렸다고?
챙—
후작의
팔을??
공작님이
손수??

헹, 그 멍청이는
우리 부인이 얼마나
강한지도 모르고
까분 거지!
깜짝!

후작을
멍청이라고…

예전에는
그렇게 크고,
강하고, 무서워
보였는데…
후작가에 있을
때에는 언제나
거스를 수 없는
사람처럼 보였는데.

콰앙!
우어어엉
어머니는 집 앞이 소란스러워지는 걸 아주 싫어하시지.
...

푸후후.
그 끔찍한 저택에서 나온 것 뿐인데도.

그렇게 무섭던 사람이 아무것도 아니게 느껴져.
아하하하.

어서 먹어, 먹고 약도 먹고 자야지.

정말 맛있다!

끼익—
우와!
앞으로
쓰실 방입니다.
마음에 드시나요,
레슬리 아가씨?

너무
마음에 들어요.

정말
좋아요…
큭.
귀,
귀여워…

폭신
구름 위를 걸으면
이런 느낌일까?

들어오렴.
끼익—

레슬리 아가씨,
앞으로 아가씨를
담당할 마델입니다.
마델,
네가 모시게 될
레슬리 아가씨께
인사드리렴.

안녕하세요,
레슬리 아가씨.
마델 델피엔이라고
합니다.
앞으로
잘 부탁드립니다.

나도
잘 부탁해요,
마델.

여보.

이상한 놈들
상대하느라
피곤했지?

싱글
생글

레슬리 양을
봤구나, 사이.
그럼 봤지!
하… 이 세상
귀여움이 아니었어.
어떻게 그렇게
작고 하얀 것이
살아 움직이는 건지.

맨날 베스라온이나 루엔티 같은 놈들만 보다가 레슬리 양을 보니까 어쩔 줄을 모르겠더라고.
아까 어떻게 웃었는지 알아? 여보는 상상도 못할걸?

크흐… 우리 딸이 되는 거지? 그치, 여보야?
되겠지.
조금 골치는 아프겠지만.

…또 그 후작 새끼가 뭔 짓을 벌이고 있구나.
그렇게 증거를 없애고 나에게 재판을 걸 모양이던데.
찰랑
재빠르게 학대의 증거를 없애고 있어. 증거 대부분이 저택에 남아 있어서 내가 뭘 어떻게 하기도 어렵더군.
그자는 레슬리 양을 거의 저택 밖으로 내보내질 않았으니까.

그 미친 새끼…
여보, 여보야가 황실에
얘기해서 그놈 단 하루라도
분쟁 지역으로 보내주면
안 돼?
왜?

내가
실수인 척
모가지를 따
버릴 거야.
샥

내가 아주
도끼날까지
번쩍번쩍하게
닦아놓고—
여보.
응?

달칵
레슬리 양 앞에선
말조심하도록 해.
나는 아직도
베스라온이 어릴 적에
황제 앞에서 '조져버린다'고
말했던 걸 기억하니까.
……

Chapter 17

끼익—
좋은 아침,
레슬리 양.

안녕히
주무셨어요?

좋은
아침이다.
잘 잤니?
공작님이
오늘은 조금
피곤해 보이시네.
…그런데 나는
어디에 앉아야
하는 거지?

레슬리.
여기 앉아

감사합니다!

의자를 하나
사야겠구나.
끄덕
꾸물

드레스도
사야 하겠어.

치수부터 바로
재야겠네.
지금부터
맞추면 시간이
걸릴 텐데.
그럼 일단
외출복하고…
저… 공작님,
사이레인 님!

의자는
사지 않으셔도
괜찮아요.
왜지, 레슬리 양?
돈 같은 걸 걱정
하는 건가?

저 이거 다 먹고
금방 키 클 거니까,
그러니까 의자는
안 사셔도 괜찮아요.
아깝잖아요.

괜찮아, 레슬리 양.
지금이 편해야지
안 그런가?
귀여워…!
의자야 나중에
사용인들이 써도
되는 거고.

톡
톡

마델트 부인을
공작저로 부르지.
드레스 카탈로그와
천을 가져오라고
해야겠어.
모만도 불러야지.
가구는 모만이
최고니까.
앗,
저…

제가 번화가로 가면 안 되나요?
제가 아직 번화가를 구경해 본 적이 없어서요….

…그래, 그럼 그래야지.
구경도 하다 와요, 레슬리 양.

네가 같이 가주렴, 베스라온.
제나와 마델도 데려가고…

아, 오늘 기사단에 가야 하던가?

…하루쯤 휴가를 내는 것도 나쁘지 않지요.
헉, 나도! 나도 같이 가자!!

우리 여보는 공작 대리로 처리해야 할 서류가 많이 남아 있지 않나?
앗…
추욱

공작님!
루엔티 님이 콘라드 님과 함께 돌아오셨습니다.

이런, 아침부터 손님인가?

아,
저기 있군!

레슬리.
?!
번쩍

높아…!
저기, 저놈이
루엔티다.

네 둘째
오라버니가
될 놈이지.

그럼 저기
저분은 누구예요?

어디서
본 것 같은데….
콘라드
아페 아이테라.

아이테라
공작가의 장남이자,
루엔티의 친구지.
중얼
콘라드 아페
아이테라….

—
—

황금색
눈동자…?
아!

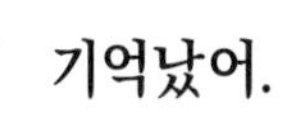
기억났어.

그때…

아이테라라면
아이테라 공작가
말인가요?
그래, 그
아이테라.
아이테라 가문과
셀바토르 가문은
사이가 나쁜 게
아니었나요?
제국의
권력 구도는
크게,
황실, 황실의 피를
이어받은 아이테라 공작가,
셀바토르 공작가,
나머지 세 후작가의
네 세력으로 나뉘고
그중에서도
두 공작가는 각각
황제파와 반황제파로
사이가 좋지 않다고
배웠는데….

언제나 교과서적인
지식과 현실이
일치하는 건 아니지.
그렇구나,
책에서 본 게
전부가 아니었어.
베스라온 님, 듣기로는
아이테라 공작가에선 신력이
강한 사람들이 많이 나온다던데
정말인가요?
아직 만들어진 지
얼마 안 되는 가문이라
특색이라 부르긴
애매하지만…

전 아이테라 대공도
그렇고, 방금 본
아이테라 공자도
신력이 강한 편이야.
끄덕
아이테라 공자는
테센트루아 신전
기사단 소속이기도
하지.
사제가 아니라
성기사인가요?
깜빡
사제가 되면 가문의
이름을 버려야 하기도 하고,
아이테라 공자는 검 실력이
뛰어나니까 굳이 사제가
될 필요가 없지.

성기사…
신기하다.

앗!

그새 저택 안에
들어오셨나 봐.
이제 방으로 가자.
번화가를
둘러보려면…

형!

슥
에엥?

…형,
그건 뭐야??

저벅
…

빠악
깜짝
으악!

갑자기
왜 이러는
거야!
사람을
보고 그거라니,
말버릇을 고쳐라,
루엔티.
아니,
그래서 그게—

빡
악!

휙
아,

혹시
삐걱—
괜찮으십니까?
나를 기억하면
어떡하지??

창피한
모습이었는데….
꼬옥—
아이테라 공자,
신전 일 때문에
온 겁니까?

네, 신전에서
전해 받은 물건을
셀바토르 공작님께
전달해 드렸습니다.

저는 이제
가보려고 하는데,
셀바토르가에
손님이 계셨군요.
뚜벅

아이테라
공작가의 장남,
콘라드 아페
아이테라입니다.
실례가
되지 않는다면
성함을 여쭈어 봐도
될까요?

…
…레슬리
예요.
무례한 짓인
건 알지만.
성까지 전부
말하고 싶지 않아.
꼼지락
나는 아직도
'레슬리 스페라도'
니까…
당당하게
'레슬리 셀바토르'
라고 말할 수 있다면
좋았을 텐데….
레슬리,
좋은
이름이네요.

저는 이만
가보겠습니다.
부디 다음번에
신전에서 뵐 수 있길.
꾸벅
형, 그래서
그거—

슬쩍
아, 아니,
삭
움찔!
그 아이는
뭔데?
후…
슥

네 여동생이다!
쩌억

Chapter 18

팬케이크가
원래는 이렇게 예쁜
모양이었구나.
폭신

…!
맛있다.

맛있긴 한데
조금…
슬프다.

미안하다.
오늘 당장 쉬기는 힘들 것 같아.

내일은 꼭 번화가에 데려가 줄게.

아니야.
설레
아쉬워하면 안 돼.

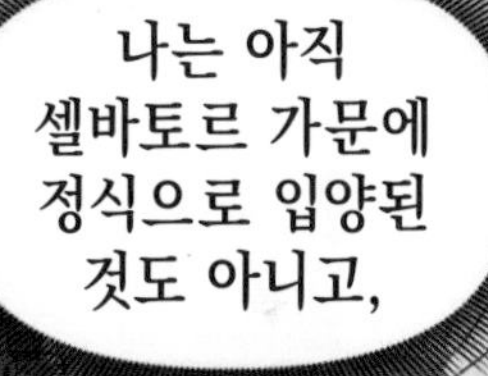
나는 아직 셀바토르 가문에 정식으로 입양된 것도 아니고,

달칵
달칵

거기다 계약으로 들어온 가짜 공녀잖아.

살기 위해 공작님과 계약한 거지.
진짜 딸이 되려던 게 아니잖아.
푹
다들 너무 친절하시니까
우물
우물
진짜처럼 떼를 부리고 예쁨받고 싶어도…

이러면
안 돼.
달칵

그래, 거기다
베스라온 님이
내일 꼭 데려다
준다고 하셨잖아.

…그런데 왜
손가락을 그렇게
하신 걸까?

기웃

너,

뭐야!

레슬리,
레슬리 스페라도
예요.

하?

어머니가
'그 일' 때문에 아이를
한 명 데려오라고
한 건 알아.
하지만
내 말은 왜!
덜그럭
스페라도
가문의 인간인
네가 그 자리에
있냐는 거야!

…
삐질
이렇게 크게 칠 생각은 없었는데.

울려나?
당연히 울겠지, 가뜩이나 인상도 무서운 사람이 갑자기 와서는
노려보고 윽박지르고 식탁까지 쳤으니…

너무했나?
제가 공작님께 저를 선택해 달라고 거래를 제안했고, 공작님께선 알았다고 해주셨으니까요.
…?

내가 지금 무슨 소릴 들은 거지?
거래?? 제안??

저 조그만 애가
어머니한테
그랬다고??

루엔티 님.
툭
움찔

저는 어디까지
이야기해도 될지
공작님께 듣지
못했어요.
그러니까
제가 유일하게
말할 수 있는 건,
저는 이 공작가의
공녀가 될 거란
사실뿐이에요.

나머지는 부디
공작님께 들어
주세요.
얘는 대체
뭐야?
겁이 없어도
너무 없잖아.

아니야,
이건 겁이
없다기보다는…

익숙한
얼굴이다.
모멸, 억압,
비웃음, 분노…
그런 감정을 대하는 게
익숙한 거야.

꾸벅

도도도도

풀썩
진짜 뭐냐고 저 애는!!
어머니는 또 왜 이런 중요한 일에 하필 스페라도 가문의 사람을 끼워 넣으신 거고??!

스페라도가 어떤 가문인지 잘 아시는 분이—
툭

도대체 무슨 생각이신 거야!

마델.
네, 레슬리
아가씨.

있지,
손가락을 거는 건
무슨 의미야?
?
손가락을
거셨다구요?

응.
베스라온 님이
손가락을 걸어
주셨어.
어머,
베스라온
님이요?
아아,
오늘 번화가에
못 간 일 때문에
손가락을 걸었다는
거지요?

그건 약속하는
거예요.
폭신
약속?

네,
꼭 지켜야 할
약속은 이렇게
하는 거예요.
그렇구나.
배시시
베스라온 님이 내일
데려다주신다고
손가락을 거셨군요.

맞다 마델,
나 하나만 더
물어봐도 돼?
그럼요!
무엇이든 궁금한 게
있으면 물어보세요.

있지, 계약과
손가락을 거는 건
무슨 차이야? 둘 다
중요한 약속을 하는 데
사용하는 거잖아?

으음~ 계약은
어른들이 주로 하고요,
아니면 공적으로
하는 거고…
손가락을 걸고
하는 건 아이들에게
주로 하는 거지요!
그렇구나.
고마워, 마델.

…아가씨, 밤바람이 찬데 그만 창문을 닫을까요?

곧 눈이라도 내릴 것 같아요.
으음… 하지만… 조금만 더 바깥 구경을 하면 안 될까?

응? 아주 조금만…
못 당하겠어….
움찔—
레슬리 아가씨, 그럼 코코아라도 한 잔 드시겠어요?

네, 코코아요, 마시멜로도 넣어서 진하게 타서 가져올게요.
코코아?
싫으신가? 단 걸 좋아하시는 줄 알았는데.

코코아가 뭐야?

어…
초콜릿으로 만든
음료예요!
달~콤하고
따뜻해서 추울 때
먹으면 정말 좋아요!
달콤…!

지금 좀 추우시죠?
제가 가서 아주 맛있게
한 잔 만들어 올게요.
그거 마시면서
같이 밖을 구경해요,
아가씨.
끄덕
끄덕

마델,
마델도 같이
마시자.
꼬옥

마델.

레슬리 양에게
전속 하녀로 붙여준
아이로군.
꾸벅
그래,
레슬리 양은
좀 어떻지?

저… 그게…
마델?

조금…
이상하세요.
푹
이상해?

네.

손가락 거는
약속도 모르시고,
코코아도 모르세요.
그런데
말하는 걸 보면
'계약' 같은 어려운 단어도
잘 사용하시고…
거기다 오늘
부엌 쪽 아이들 얘기를
들어보니까,
팬케이크를 가져다드렸더니
원래 이렇게 예쁜 음식이었냐고,
이런 예쁜 팬케이크는 처음
본다고 놀라셨다는 거예요.
거기다 묘하게,
아니 그냥 너무
어른스러우세요.
아까 베스라온 님께서
갑자기 번화가에 못 가게
되었다 하셨을 때,
그냥 웃으면서 괜찮다고
말하셨다 하더라구요.
보통 레슬리 아가씨
나이 때의 아이들은
안 그러잖아요.
그런데 또
먹을 때는 제 나이답게
방싯 웃으시는데…

사정이 있는
아이야.

그러니
잘해 주렴.
톡
톡

휙
네….

Chapter 19

똑똑
아가씨, 코코아 가져왔어요.

...
어머.

살짝

새근

조심
조심

좋은 꿈 꾸세요,
아가씨.

소복—
세상에, 아가씨!

언제부터 이러고
계셨던 거예요!
모르겠어,
그냥 일어났을
때부터 보고
있었어.

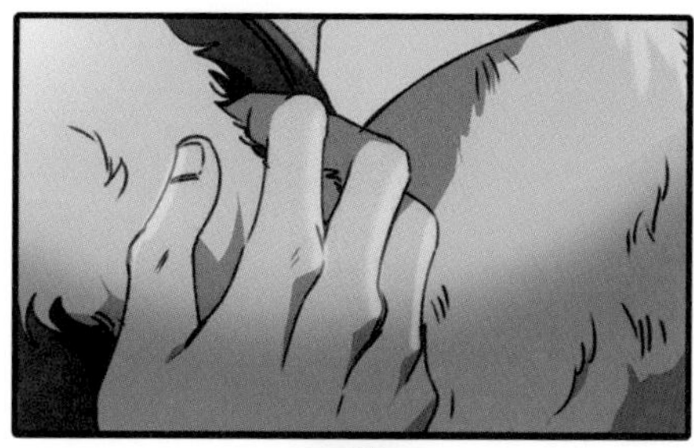

정말 괜찮아.

나 어서 번화가에 가고 싶어.

도와줘, 마델.

…
도도
도도도
털공?
이건…?
루엔티 님이 열 살쯤에 입었던 털 코트입니다.
그게 가장 작은 옷이라서 일단 그걸 입혀 드렸어요.
훌쩍
추욱
열 살?!

쿠궁—
그럼 루엔티 님이
나보다 어렸을 때 입은
옷이라는 거잖아.
나한테는
이렇게 크다고??

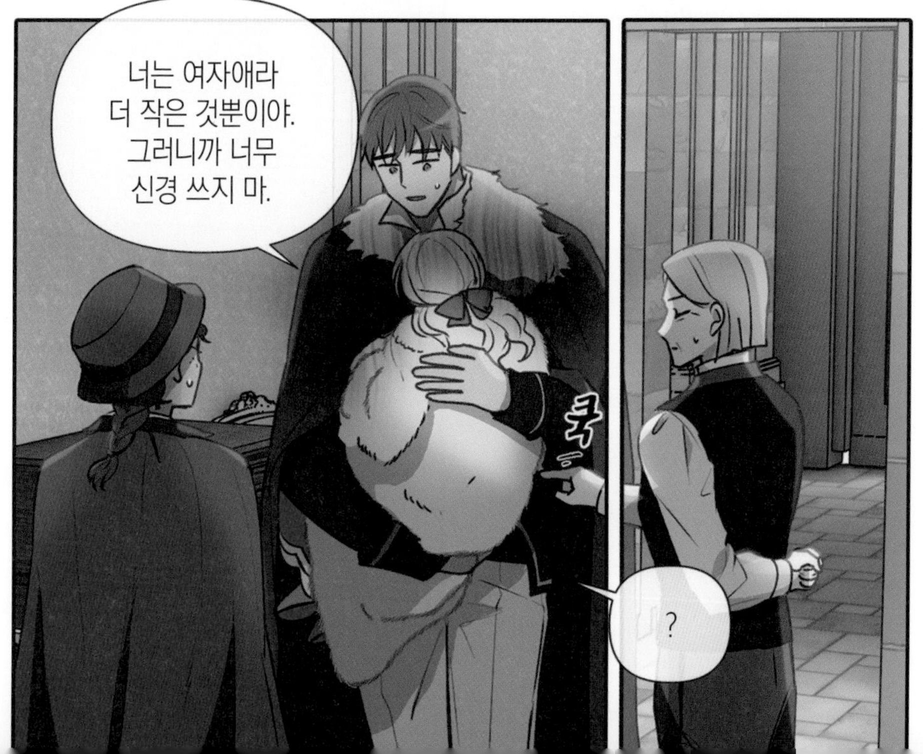

너는 여자애라
더 작은 것뿐이야.
그러니까 너무
신경 쓰지 마.
쿡
?

소곤
베스라온 님, 원래 어릴 때는 여자아이들이 더 큰 법입니다.
가만히
계세요
…

크흠,

어쨌든 곧 클 거야.
저벅
그럴 수 있을까요?
그럼 크고 말고.
루엔티 녀석도 작은 편이었지만 고기를 열심히 먹어서 그런가 금방 컸지. 너도 그렇게 될 거야.

저, 그럼 공작님만큼 클 수 있을까요?
어머니만큼?

으음…

슥
될 수 있어.

어머니만큼
될 수 있을 거다.

끄덕

마델,
창밖 봐도
될까?
그럼요!
얼마든지
구경하셔도
괜찮아요.

아가씨는
창밖 구경을 참
좋아하시네요.
응.
덜컹

창밖을 볼 때면
숨 쉬는 게 답답하지
않아서 좋아.

…
꾸욱

짠순이가 웬일이래?
너 이거 비싼 거라고 한 달에 한 번만 마셨잖아?
호록
원래는 아가씨 드리려던 거야.

아무래도 안쓰러웠단 말이야….

아가씨?
아, 레슬리 아가씨
말이구나.
맞아.
흐응…
뭔가 좀,
보통 귀족 아가씨들이랑은
다르다고 해야 하나…
팬케이크 일도 그렇고.
그치.
그래서 그걸
공작님께 전부
말했다, 나?
달칵
너…
너 괜찮아??
살아있는 거지?
확
그 셀바토르
공작님한테??
그 셀바토르
공작님한테
??????
마음의
소리가 들린다.

셀바토르 저택
고용인들의
암묵적인 규칙.
딱 필요한
용건만 말할 것.
늘 조용한 상태를
유지할 것.
가주인 공작님이
시끄럽고 흐트러진
상태를 좋아하지 않는
것은 차치하더라도.
공작가 사람들의
위압감 앞에선
누구든 저절로
몸을 사리게 된다.

괜찮아,
오히려 공작님께서
아가씨한테 잘해 주라고
하시더라.
그 공작님이?
아,
음…
하긴…
…
잘해 드리자.
그래.

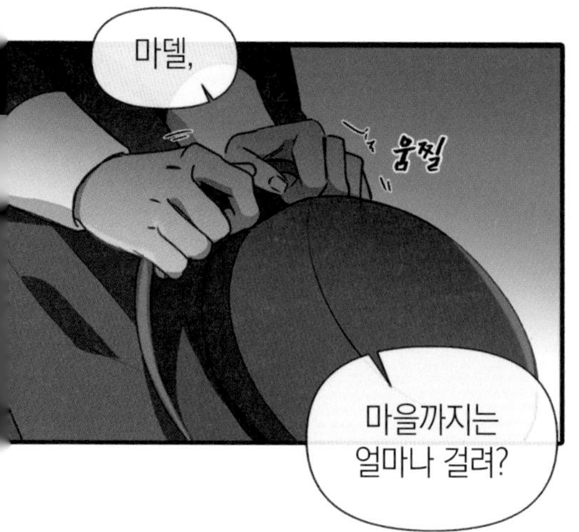
마델,
움찔
마을까지는
얼마나 걸려?

곧이에요,
마차로는 금방
도착하거든요.
가면 맛있는
아침도 먹도록 해요.
배가 많이 고프시죠?

어제 못 먹어본
코코아도 먹어요.
반짝
코코아?

제가 번화가에 있는
비밀 맛집은
다 알고 있거든요.
코코아도 먹고,
옷하고 신발도 사고,
달콤한 것도 먹으러 가요,
아가씨.
덜컹
덜컹

어서 오세요!
파렝클 의상실에
오신 걸 환영합니다!

먼저 아가씨께서
입으실 만한
실내복과 드레스,
두리번
그리고 보닛과
겨울용 망토와 겉옷을
보여주시고요.

거기에 아가씨가
입으실 만한 셔츠와 바지,
또 장갑도 같이
주문을 넣을 거예요,
아! 잠옷도요.
긁적
셔츠와 바지
말입니까…
음…

소년분들이나
성인 남성분을 위한
셔츠와 바지는 준비되어
있습니다만, 저 체구의
아가씨가 입으실 만한
셔츠는 따로 준비가…
거기다 드레스 역시
기성품 중에서는 맞는
옷이 몇 벌 없을 겁니다,
괜…찮으시겠습니까?

일단 있는 걸
전부 보여주세요,
옷을 고른 후에
치수를 잴 거구요.
부족한 것들은
차례로 주문할 거예요,
카탈로그도 보여
주시고요.

바지와
셔츠?
아무래도
어머니께서 너를
직접 가르치시려나
보구나.
네?
공작님이
저를요?
네, 집사님이
아가씨를 위한
바지와 셔츠도
몇 벌 주문하라고
하셨습니다.

체력은
중요하니까.
끄덕
??

이거 정말
마음에 들어요.

저희 가게에서 자랑하는 최고급 상품 중 하나이죠.
마음에 드신다니 정말 다행입니다, 아가씨!

이제 카탈로그를 보여드리겠습니다.
일단 아가씨 드레스부터…
저, 화장실이 어디 있죠?
제가 모셔다 드리겠습니다.

저기가 화장실입니다. 전 여기서 기다리고 있겠습니다.

덥석
?!
너—

Chapter 20

…네가 왜
여기 있어?
두리번
내가 할 말이야!
네가 왜 여기 있는 거야,
이 가게가 얼마나
비싼 데인지 알아?
삭
팍

손님 가려받기로
유명한 곳인데…
네까짓 것이 들어오다니
여기도 망해 가는구나.
…
다음부턴
다른 곳으로 가야겠어!
훨씬 더 기품 있고,
제대로 된 손님을
알아보는 가게로 말이야.
이 가게가
비싸거나 손님을
가려 받는다든가
그런 것보다는
'감히' 나 따위가
너와 같은 가게를
이용해서 화난 거
아니야??

움찔

후작 저택에서는 자기 방 앞조차 지나다니지 못하게 했으니까…
후작가가 많이 안 좋은 모양이지?
흠칫-
그런데… 엘리가 이렇게 이른 시간에 직접 가게로 왔다는 건,
평소 같으면 늦게 일어나서 한가하게 번화가 구경을 하거나, 아예 사람을 집으로 불러 쇼핑을 했을 텐데.
그래서 지금처럼 사람 없는 시간대를 노려 드레스를 사러 온 거겠지.
이유야 뻔하지, 스페라도 후작이 공작저 앞에서 소란을 피우다 팔이 부러졌으니 소문이 퍼졌을 거야.

퍼뜩
너…
설마 네가
그런 거야??

뭘?
네가 그랬구나,
틀림없어!

네가 셀바토르
공작에게 말했지!
아버지의 팔을
부러트려 달라고!
…
그래서 나와 아버지를
부끄럽게 만들어
복수하려고 그런 거지!
그래, 그런 게
틀림없어!
전부 네 탓인
거야!!

무슨 소릴 하는 거야??

엘리를 위해서라는 이유로 그 불구덩이에 던져지지 않았다면,

지금도 그 끔찍한 후작가 사람들에게 사랑을 갈구하며 지냈을지 몰라.

나를 쓸모없는 존재라고 생각하면서….

그래, 엘리
네 덕분이 맞아.
!

야!
너, 셀바토르
공작에게 가서 말해!
가서 이 소문을
어떻게든 수습하라고!
비틀
응당 네가
이 상황에 책임져야
하는 거 아냐?

내가 왜?
네가 저지른 짓이니까 그렇지! 지금 이 일로 아버지랑 어머니가 얼마나 괴로워하시는지 알아?
심지어 어머니는 식음도 전폐하고 방에서만 계셔!
나는 매일 굶었는데.
그래서?
그래서라니? 너는 어머니가 밥도 안 먹고 계신다는데 걱정되지도 않는 거야?

나는 늘 맞고,
매일 굶다시피 했고,
후작저 바깥으로
나갈 수조차 없었어.
심지어 저택 안에서도
다닐 수 있는 곳은
제한돼 있었지,
'누구' 덕분에!
그리고 네가
정말로 걱정하는 건
스페라도 후작이나
후작 부인 따위가
아니라
너
자신이잖아!
ㅡ그게 지금
내 탓이라는 거야?
까득

그건 다, 애초에
쓸모없이 태어난
네 잘못이잖아!
그러니까 누가
그 궁상맞은
백발을 갖고
태어나래??
누가 제물의
운명을 타고
태어나라고 했냐고!
너도 나같이
우리 가문의 밀색 머리와
연듯빛 눈동자를 타고
태어났으면, 나만큼
사랑받을 수 있었어!!
정말?
슥ㅡ

내가
그런 것들을
타고났어도
네가 지금
누리는 것들을
나와 나누려고
했을까?

휙

거짓말쟁이!

헉!
아, 아가씨!
괜찮아요.

그리고 저건
무시하세요.

왔니,
씨익

미안하다.
?

어제
루엔티 녀석이
너를 협박했다고
들었어.
루엔티
님이요?
식당에서
그랬다던데?

…어제 그게
협박이었나?
전혀 무섭지
않았는데.

그 후에
어머니랑 얘기를
나눴다고 하니까,
앞으로는 그러지
않을 거야.
그러니 너무
신경 쓰지 마라,
아직 어린 녀석이라
종종 실수하거든.
도리
도리
저는 무섭거나
그러지 않았어요.
그럴 리가,
녀석도 작긴 하지만
셀바토르 가문의
일원이야.

빙글
음,
그치만요—

저를 정말
싫어하거나 미워한다면
그보다 더 끔찍한
눈을 하거든요.

중얼
…예전에 스페라도
후작가에서…

예?
…아무것도
아니야.
옷을 다 맞추면
상점가를 돌며
구경하자는 말이었어.

구경해도
되나요?
그럼.
배시시

다 끝났어요!
탁!

레이스가
예쁜 게 많이
들어왔더라고요.
킁-
자세한 모양을
보느라고 그런지
눈이 아프네요.
그럼 총 드레스
다섯 벌, 셔츠와 바지
네 벌, 신발과…

안녕히 가십시오!
신발이 푹신해서 걷고 싶어요.

멈칫

인형 가게네요.
저벅
멍-
저벅

레슬리.

으쓱

탈랑
어머,
어서 오세요!

이게 마음에 들어?
원하는 게 있으면
전부 골라 봐.
…레슬리?
퍼뜩
아니,
아니에요!
그냥 예뻐서
봤던 것뿐이에요.

그만 돌아가도
괜찮아요.
인형이 꼭
필요한 것도
아니고…

갖고 싶은 걸로
골라 보렴.
휙
아, 아니에요…
괜찮아요…

도리
도리
…그래.
그렇다면
어쩔 수가 없지.

여기에 있는
인형을 몽땅
사야겠다.
?!

Chapter 21

여기에 있는 인형을 몽땅 사야겠다.
?!
셀바토르 가문 사람이 가게에 들어와 아무것도 사지 않고 나갔다고 하면 소문이 날 테니까.
누군가 우리 가문의 재력을 의심할지도 모르니까 말이야.
쿡쿡
…!!
셀바토르 가문 사람이라면 가게에 들어갔을 때 뭔가를 꼭 사야 하는 건가?
네가 뭔가 고르면 그걸 사면 되겠지만, 갖고 싶은 게 없다니 어쩔 수 없지.

이봐요,
이 가게에 있는—
베,
베스라온 님!!
……만.
응?
그럼…
검은 토끼 인형
하나만….
그래.
쓱
쓱

원하는 게 있다면
얼마든지 말해도 돼.
먹고 싶은 것,
가지고 싶은 것,
가고 싶은 곳
모두 말해.
너는 이제
그 저택에
있는 게 아니니까
참지 않아도 돼.
알았지?

꼬옥
네…
그럴게요.

파앗
…!

맛있죠?
싱글
끄덕
끄덕

도대체 스페라도 후작가는 저 아이한테 무슨 짓을 한 거지.

?
멈칫

살짝

짜잔~
어머!
원래 있는
장식 같네요!

베스라온 님,
베스라온 님!
응?
이것 보세요.
너무
예뻐요!
와작
두둥
꼬르
르르

꼴깍
아…

—아무한테도
말하면 안 돼.

정말로 말하면
안 돼, 알았지??
나 울었던 거…
그럼요.
절대 말
안 할게요.

쾅
그렇게 처참하게
가라앉을지는
몰랐단 말이야….

절대로,
아무에게도
말하지 않을게요.
꼬옥
자,
어서 주무세요.

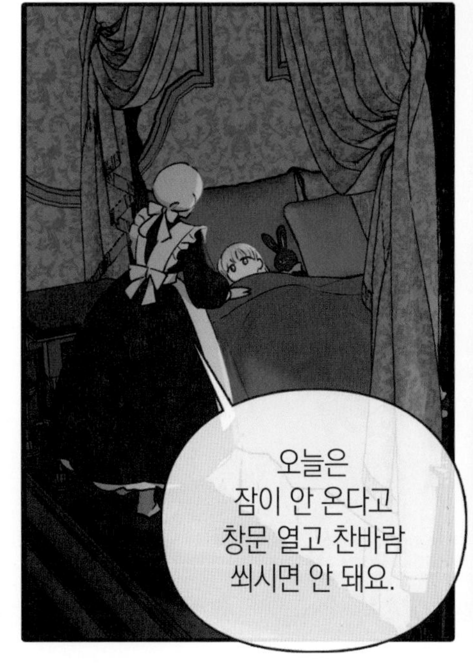
오늘은
잠이 안 온다고
창문 열고 찬바람
쐬시면 안 돼요.

아프실 수도
있잖아요.
토닥
응,
안 그럴게….

…마델,
…오늘
고마웠어….

안녕히 주무세요,
아가씨.

달칵

…
끄덕

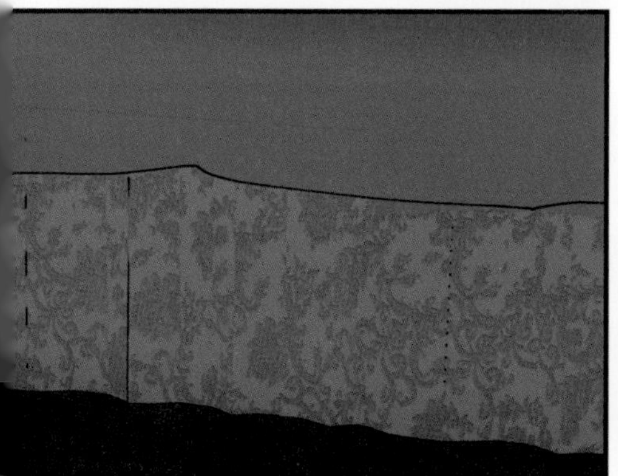

슬쩍

이것 봐.
너를 닮았어,
둘 다 까맣잖아.
이 리본 색은
내 눈을 닮았구.
일렁

꼬옥
다행이야.
너희가
도와줘서,
어둠의 힘을
얻어서,
살아남아서.

그러니까,
나는 용서하지
않을 거야.

날 살려준
너희를 위해서
출렁
스페라도
후작가의 끝을
너희에게 선물할게,
꼭….

후아암~

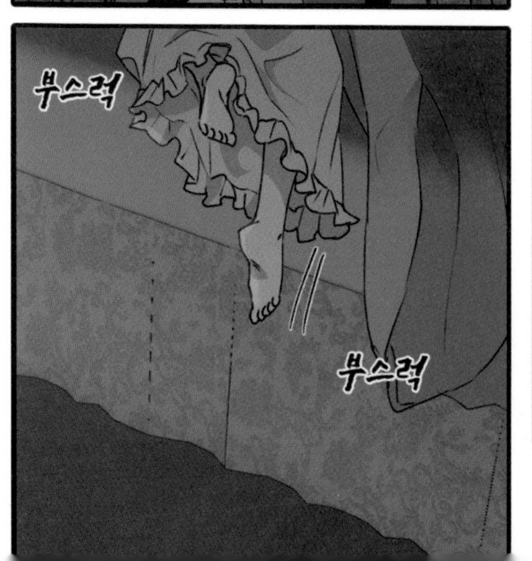
부스럭
부스럭

…
이제
나도…

행복해질
수…

안녕히
주무셨어요?

아.

…안녕.
휙

앗, 레슬리 양!
좋은 아침이야!!

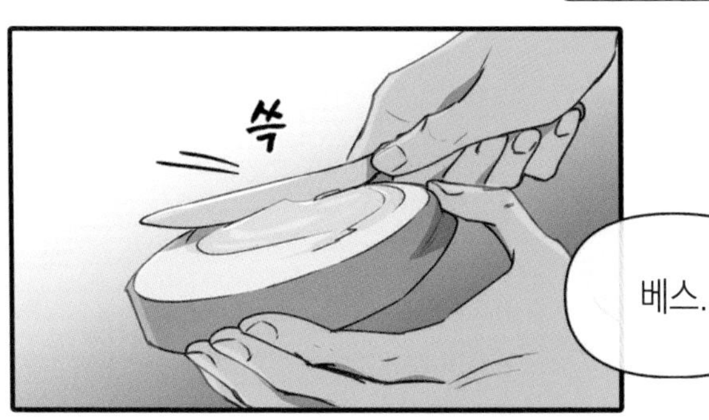
쓱
베스.

너는 식사가 끝나면 나를 따라오렴.
루엔티, 너는 어제 나와 이야기한 대로 레슬리 양을 서재에 데려가고.

저…
무슨 일인지
여쭤봐도
될까요?
오늘부터 레슬리 양은
루엔티에게서 대략적인
이론을 배울 거야.

이론 말인가요?
홱
흥
이놈이…?
저래 봬도 꽤
유망한 마법사로
꼽히고 있거든.
도움이 될 거란다.

그리고
어제 맞춘 옷이
도착하는 대로
나에게선 간단하게
검을 배울 거고.
체력이 없어도
너무 없어 보여
걱정되니까.
체력이 어느 정도
붙은 후엔 예법과 춤,
잡다한 것들을 전부
배우게 될 거야.

잘 따라올 수 있겠지, 레슬리 양?
네!!
끄덕

그래, 배울 수 있는 건 전부 배우고 익히도록 해.
반드시 레슬리 양의 힘이 될 테니까.

아니 레슬리 양, 벌써 다 먹은 거야? 좀 더 먹어야 하지 않을까?
아침인걸요, 거기다 이제 배가 꽉 찼어요.
배부르다면 무리해서 먹을 필요 없어요, 레슬리 양.
여보도 그만. 레슬리 양은 아직 작으니까 나나 우리 아들 녀석들 기준으로 생각하면 안 되지?

반짝
레슬리 아가씨는
지금도 많이 드셨어요,
더 드시면 배탈이
날 수 있답니다.
그리고 식사 후엔
디저트를 먹어야지요.

엥, 언제부터
우리 집에서
디저트 같은 걸
챙겼다고?
…코코아??
기웃

와!
…
코코아랑 쿠키…

아가씨,
한번 쿠키를
띄워보세요!
!
씨익

Chapter 22

하지만…
괜찮아요, 어서.
토닥
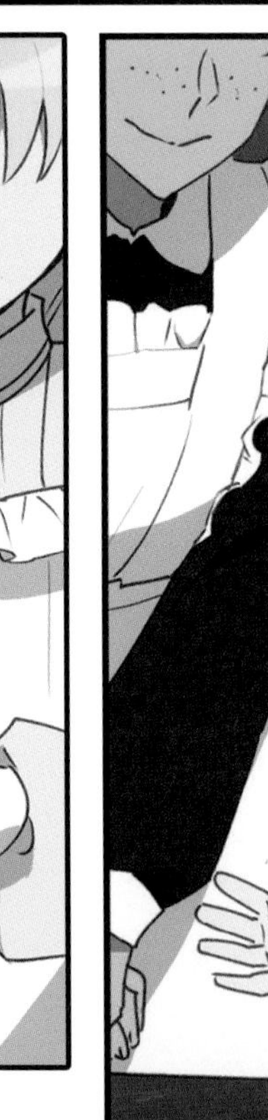
조심
조심

또 어제처럼 순식간에 가라앉을 거야.
살짝

…차라리
끝까지
지켜보자.
부릅
후후,
자랑하셔도
괜찮아요.

지긋ㅡ
…
꾸욱

저, 베스라온 님!
이거…

짜잔~

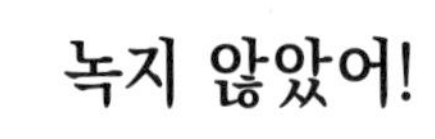

슥
이걸 나에게 보여주고 싶었구나.
예쁘다.

정말 예쁘네요, 꼭 눈 위에서 눈사람이 뱃놀이를 즐기고 있는 것 같아요.
맞아요!

이렇게 예쁘게 코코아 위에 쿠키를 띄우는 사람은 전 처음 봤어요!
짝
짝
자, 올린다 68번째 실험…

…12, 13, 14…

불끈!
이 정도면
아가씨가 충분히
자랑하고도 남겠지!
짝
짝 짝

짝
짝짝

20잔째
맞아요!
거기다 맛도
좋아요.

1년 치 당을
하룻밤 새 다 먹은
기분이긴 하지만…
짝
짝
짝
아가씨가
웃으신다는데!

짝
짝 짝 짝
짝 짝 짝

와!
빽
빽
빽
피식
역시 우리
레슬리 양이야!

짝 짝
두리번
짝
짝

반짝
제가 올린
거예요!

예뻐요
아가씨!
시끌
정말 잘 올렸어,
레슬리 양.
우리 아가씨는
쿠키 올리기에
천재인가 봐요!
시끌
그럼!
우리 레슬리 양이
어떤 사람인데!

...
며칠 새 다들
미쳐버린 게
틀림없어.

부끄러워.
쿠키 하나 띄우는 게 뭐라고 어린애처럼…
…하지만 다들 박수를 보내줘서…
…즐거웠어.

쿵
깜짝

오늘부터 내가 너를 가르칠 거야.

앗,
앞으로 잘 부탁 드리겠습니다.
꾸벅
움찔

야…
그렇게까지 굽신거릴 필요는 없거든??
그렇게 안 해도 어머니께서 시키신 일이니까, 나도 제대로 할 거라고!
휙
?
네….
앉아.
일주일에 세 번, 정해진 시각에 이리로 오면 돼.
기웃
저는 뭘 배우게 되나요?
드륵—
네가 힘을 제어할 수 있는 데에 필요한 모든 걸 전부 다.
고어와 신어, 역사학에 철학, 거기다 예법서까지….

어머니께 들었어,
어둠의 힘을
가지고 있다지.
끄덕

후우…
어둠은
알려진 게
너무도 없지.
스페라도 후작가가
자기네 특유의 힘을
거의 천 년 동안 계속
감춰왔으니까.

그나마 알 수 있는 건
마력과 비슷하다는 것,
그러니 제어 방식 역시
엇비슷하겠지.
착
착
자, 고어는
읽을 수 있겠지?
신어는 기본일 테고.

레이안톤의
《귀족 교양론》은
필수니까
당연히 알 거고.

착
차착
철학자 아벤돈의
이론도 읽어봤을 테고.

콩
아!
대륙의 역사서도
전부 줄줄 외우고
있을 테지.
기본 중의
기본이니까!

잘 따라올 수
있겠지?

…기본은 무슨,
원래는
아카데미 고학년도
보기 힘들어하는
책이지만…
그래도 이 정도는
해줘야지.

대체 무슨 수를 써서
스페라도 후작가의 인간이
여기 들어온 건지
몰라도…
그 가문이
우리 셀바토르의
발목을 잡으려고 한
더러운 짓들을 생각하면
아직도 치가 떨리는데!

근데 다른 사람들은
그런 건 다 잊었다는 듯
헤벌쭉해져선…!
심지어 형까지!

어떻게 어머니와
아버지…는 빼고,
형에 사용인들까지
저렇게 만든 건지는
모르겠지만
나는 쉽게
넘어가지 않아!
저—

못 하겠다고
말하려나?
씨익
왜,
못 따라오겠어?
...
고어와 신어는
중급까지 해석할 수
있어요.
말씀하신
철학자 아벤돈은 이론이
너무 어려워서
중간까지밖에
못 읽었지만,
철학자 나히로키아의
이론은 전부 읽었어요.
그리고
대륙의 역사서는
네 번째 제국의 탄생까지
외우고 있어요.

그, 그래도!
레이안톤의
《귀족 교양론》은
전부 읽었는데….
힐끔

…
부족한가?

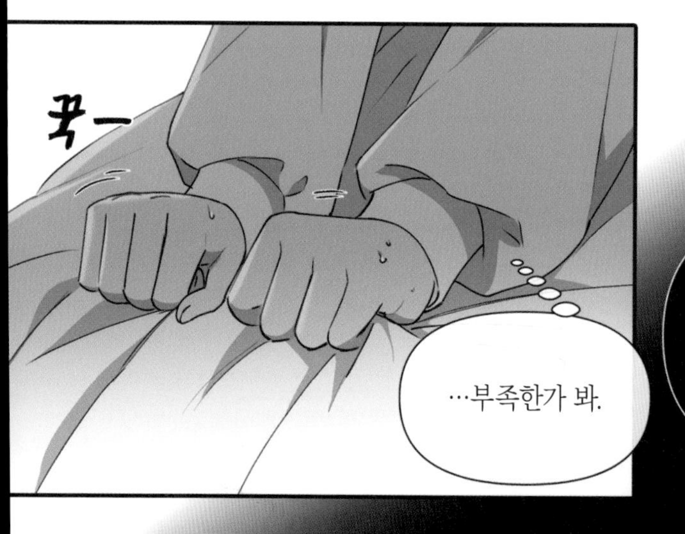
꾸—
…부족한가 봐.
몇 번이나
말씀드리지만,
레슬리 아가씨.

아가씨의 무지는
곧 엘리 아가씨의
무지가 됩니다.
찰싹
움찔
그리고 그건
스페라도 가문의
치욕이 되지요.

엘리 아가씨는 곧
아렌도 황자님과 결혼해
황실로 들어갈 텐데,
그때 아가씨가 제대로
보좌를 해야 할 것
아닙니까?
찰싹
이렇게 쉬운
문제조차 틀리는 건
너무도 부끄러운 일입니다.
아가씨의 무지를 여실히
보여주는 거니까요!

여기는
스페라도 저택이 아니고,
루엔티 님이 그 가정교사 같은
사람일 거란 생각은
안 하지만…

푹―
너…

철학자 나히로키아의
이론을 읽었다고?

그럼에 상관없이
인간은 완벽해질
가능성을 가진다!

정말 읽었어!
나히로키아는
철학자들 중에서도 가장
낮은 평가를 받아서
읽는 사람이 거의 없는데!
철학자 나히로키아,
세기의 천재!
그리고 세기의 괴짜!
유명한 철학자들 중에서도
유일한 평민 출신에다가…
언제나
아카데미 학생들이
가장 싫어하는 철학자 1위,
마법사들이 웃으며 피하는
철학자 1위였지…

셀바토르,
나히로키아의 이론도
좋지만, 좀 더 대중적인
아벤돈에 대해
토론해 보자고.
…나히로키아?
태어날 때부터 미쳐 있다는
말이 돌 정도의 인간인데
솔직히 사고란 걸
제대로 했을까?
행동은 기괴하고
주장은 이해하기 힘들고!
거기다 천재인 자신만
알아볼 수 있게 쓴
이론서 등등,
나는 지금이라도
그의 이름 앞에
철학자라는 단어를
제외해야 한다고 봐.

그리고
내가
가장 좋아하는
철학자 1위!!
덥석
하지만 저는
가장 좋았어요,
특히 마력과 신력에
대한 고찰이…
그치??
동지를 만날 줄이야!
진짜 기쁜데!!
…거기다 이 나이에
고어와 신어는
중급에, 역사서는
네 번째 제국까지라…

이 정도면
정말 천재라 봐도
무방하겠어.

Chapter 23

천재요?
필요한 책도 다 읽지 못한 채 지식을 부실하게 쌓고 졸업하지. 자신들은 귀족이니까 이런 건 상관없다면서 말이야.
그래, 천재.
고어와 신어는 초급 수준인 아카데미 졸업생들도 많아.
그렇구나….
나는 모자라지 않았구나.
이거 앞으로의 일이 기대되는데.
씨익
어떤 것이든 잘 따라오겠지?
일단 이론은 충분… 아니, 완벽하지! 나히로키아를 알잖아.
부족하지 않았어.

좋아, 그럼 먼저
힘의 제어법부터…
1년 계획을
생각해 보면…
……

지금
무슨 생각을
하는 거야!
아무리
몽실몽실하게
생겼어도,
붕
붕
저 애는
스페라도 가문의
인간이라고!!

나까지
넘어가면 안 돼.
무서운
아이…!
나는
셀바토르가의 지성!
마지막 보루!!
나까지 무너지면
셀바토르 가문이 전부
함락된 거나 다름없어!
보통은 아벤돈의
이론으로 공부할 텐데
특이하긴 하네.
흠!
그렇지만 저는
나히로키아의 이론서가
더 마음에 들었어요.

처음엔 좀
이해하기 힘들긴 했지만,
한번 이해하고 나면
다른 철학서보다
더 좋아서…
그치!!
안 돼, 안 돼!
넘어가면
안 된다고!
…저는,
나히로키아가
평민이라서
평가가 절하된
점도 아쉬워요.
귀족이었다면
분명 아벤돈 못지않은
중요 철학서로
뽑혔을 텐데…
탕!
내 말이!!

쾅

평소에
…….

나히로키아에 대해 같이 이야기할 사람이 없어서 쓸쓸했는데,
루엔티 님을 만나서 너무 반가워요.

저를 가르쳐주시는 것까지 포함해서 앞으로 잘 부탁드려요, 루엔티 님.

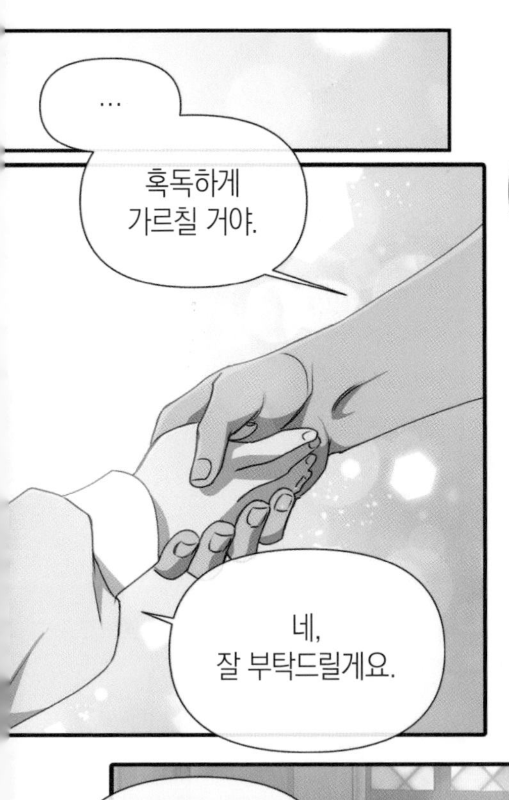
…
혹독하게 가르칠 거야.
네, 잘 부탁드릴게요.

크흠!
일단 이론은 충분한 것 같으니까 실전으로 넘어가 볼까?

실전이라면, 어둠을 쓰는 걸 말씀하시는 건가요?
그래, 일단 어떤 힘인지 내가 알아볼 필요가 있으니까.
뒤적
뒤적

착
어머니께 들었어, 거래를 할 때 이 공작저를 전부 어둠으로 삼켰다지.
이 방만 어둠으로 삼켜 봐.

화악

스르르륵

—후아,
듣기는 했는데, 와……
이 정도의 힘이면… 그래, 어머니가 넘어가지 않고 배길 수가 없었겠지.
이게 바로 천 년이 넘는 동안 스페라도 가문을 유지하게 해준 힘이구나.

대단하다.

그런데 혹시
이렇게 크게 말고,
작은 움직임을
해본 적 있어?
작은
움직임이요?
차라리
직접 보여주는 게
빠르겠다.
와르르
아무리 내가
어둠에 무지해도
네가 가진 힘이
얼마나 강한지는
알 수 있었어.
그러니
너는 더더욱
힘을 다루는 법을
알아야 해.
탁
힘을 다루는
법이요?
그래, 어떤 힘이든
역류 현상이 있으니까.
툭툭
좋아, 일단
이것만 어둠으로
먹어볼래?

스멀

콰
직
?!

저, 저는 세 번째만 노리려고 했어요! 정말이에요!!
그래, 알아.

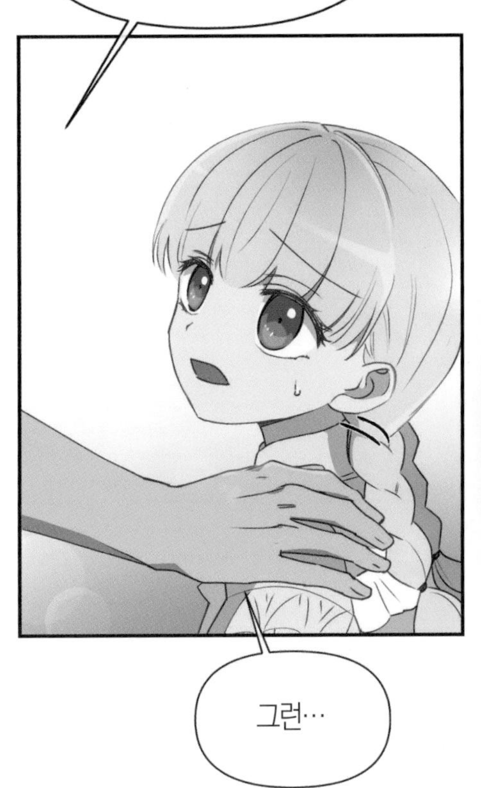

힘 조절이 안 되는 거야.
원래 너처럼 강한 힘을 가진 사람일수록 작은 것을 공격하기 힘들어하지.
그런…

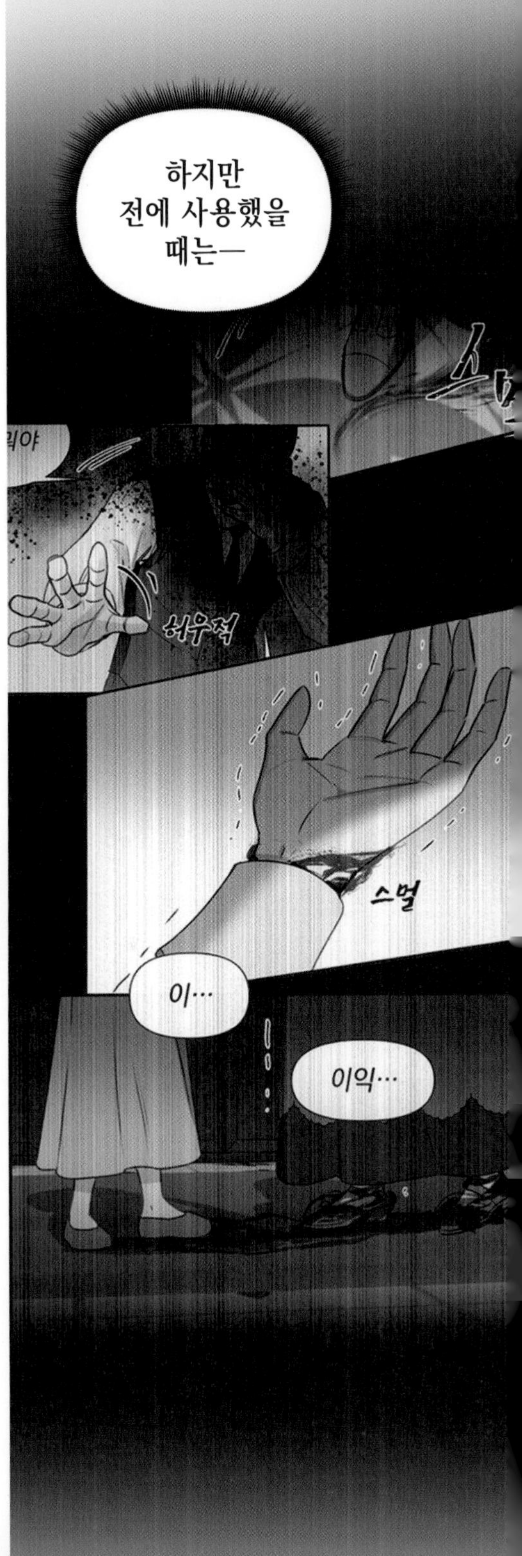

하지만 전에 사용했을 때는—
허우적
스멀
이…
이익…

사람은 누구나
의외에 상황에서
놀랄 만한 힘을
일으키지.
토닥
하지만 그건
어쩌다 일어난
기적일 뿐이야.
다시 그렇게
행운이 이어질 거라
바라면 안 돼.
그건 네 실력이
아니니까.

끄덕

좋아,
다시 한번
해볼까?
네!

파직
파앗

파지직
콰앙

두근
반드시
두근
해내야만 해.
두근

그만,
샥
오늘은 여기까지 하자.

너는 잘했어.
…
봐, 처음엔 여섯 개를 전부 부숴트렸지만 지금은 고작 네 개야.

네 개나
부숴버린 걸요….
고작 네 개지.

잘 들어, 이건
마법사의 저택에
들어온 1, 2년 차도
잘 못하는 거야.
출발선부터가 달라.
갓 들어온 마법사들이
뭐부터 하는 줄 알아?
마력을 모으는 것부터야.

이 나무토막 훈련도
일상 마법을 어느 정도
익힌 후에야 디딜 수 있는
첫걸음이고,
툭
그마저도 벗어나려면
천재가 아닌 이상에야
1년을 넘게 시간을
써야만 해.

와삭
와삭
알았지?
너는 정말 잘한 거야.
정말이야!
천재인 내가
보증해.

거기다
지금 네 문제는
다른 게 아니야.
잠깐 실례할게
슥

체력이 문제지…
아마 좀 더 잘 먹고,
잘 자고,
체력이 붙으면
훨씬 더 나은 결과를
낼 수 있을 거야.

정말요?
그럼!

천재인 나만
믿으라고.
척

생각보다 시간이
오래 걸렸구나.
분명 동관을 담당하던
하인 중 한 명이었지.

저능 그런… 따윈…

그대가 한 짓이 아니라고?

바들

바들

정말 할 말이 그것뿐인가?

진실을 말하면
고통 없이 신의 품으로 갈 수 있게 도와주마.
……
저, 저는… 그저 공작가의 잡다한 일을…
푹
스페라도 후―
울컥
아,
주르륵
아아…!

털썩
…역시,
입막음을
해둔 모양이군.
……

Chapter 24

저주일까?

특정 단어를 말하면
바로 죽도록 매개체를
심어놓은 걸지도요.

매개체라…
그거 골치 아픈데.
기웃
흠…

매개체보다는
독이 아닐까요?
독?

펄럭
…이미 중독된
상태였던 듯합니다.

적어도 하루 이틀
사이에 일어난 일이
아니에요.
제나 집사님,
아무래도 파론이
아픈 모양입니다.
밤마다 앓는 소리를
내더군요.
제나, 이 남자는
어떤 사람이었지?
파론 아텐,
서부 출신으로
나이는 스물일곱 살,
저희 공작저에선
약 4년을 일했습니다.
가족은 없고,
일 처리는
나쁘지 않았지만
좋지도 않았습니다.

그리고
허영심이 강하고
눈치가 없는
편이었지요.
가질 수 있는 것과
가지지 못할 것을
잘 구분하지
못했으니까요.
신분 상승 등을
미끼로 한 유혹에
넘어가기 쉬웠겠죠.
감히 셀바토르의 정보를
바깥에 팔아넘기려 할 정도로
선을 구분하지도 못했고.

거기에 눈치가
없었으니…
자신이 버려졌다는 걸
뒤늦게 깨달았겠군요.

아픈데도 의사를 찾아가지 않았다더군요. 몸이 저 지경이 되었는데….
끝까지 희망을 놓지 못하는 긍정적인 성격을 추가해야겠어요.

휴… 얼마 전 로그엔이 귀향한다고 저택을 나갔는데, 손이 점점 부족해지네요.
베스.
…
네, 어머니.

이 자의 뒤에 있는 사람을 알아낼 수 있겠지?
알겠습니다.
겨울이라 그런지 여기도 춥구나, 어서 위로 올라가자.
아, 그리고 엔티와 레슬리 양에게 내 집무실로 오라고 일러줘, 제나.

…저,
베스라온 님.
저 남자
뒤에 있던 사람은
스페라도 후작
아닙니까?
아까 그자가
분명…
휙
후작 따위가
우리 공작저에
저런 걸 심어놓을 수
있을 리가 없지.

분명
더 큰 게 있어.

그래서 마법사들은 주로 어릴 적부터 마법사의 저택 태피스트리에 이름을 올리지.
마법사의 저택에 머물러 있을 때만 마법사라 칭할 수 있게 되는 거지.
그럼 루엔티 님도 아직 저택에 머물러 있는 거예요?
덥석
그 전까지는 자신을 마법사라고 칭하면 안 돼.
아, 저택 태피스트리에 올라와 있는 이름을 지운 후에도 마찬가지야.
그래, 맞아.
나같은 귀족은 태피스트리에 이름을 올려도 다른 마법사들보다는 조금 자유롭지, 아무래도 작위 문제도 있고…
그렇다고 일반 마법사가 전부 고리타분하게 저택에만 있는 것도 아니야.
그렇구나… 그럼 저 하나만 더 질문해도 돼요?
하녀가 새로 묶어줌

좋아,
대신 샌드위치
한 입 먹으면.

텁
!

고기…!!!
밖에 없어…!
켁!
콜록!
아, 내 거랑
바뀐 모양이다.

꿀꺽
꿀꺽

냠

후하…
두 입 먹었어요!
이제 질문해도
되나요?
그래, 천천히
다 물어봐!

…
황실과
셀바토르 공작가의
사이가 안 좋은 이유를
물어봐도 되나요?
머뭇

뭘 그리 뜸들이나 했더니,
그거야
유명한 이야긴데
뭘.
황실은 우리가
고까운 거야.
우리 가문은
제국이 세워지기 전부터
존재했으니까.
으쓱

…
냠
냠
……

겨우 그 이유예요…?
부스럭
위에 있는 것들은 제 위에 뭔가가 있다고 생각하면 두드러기가 나는 법이거든.
황실은 조금이라도 우위라고 생각되는 우리 셀바토르 가문이 싫은 거야.

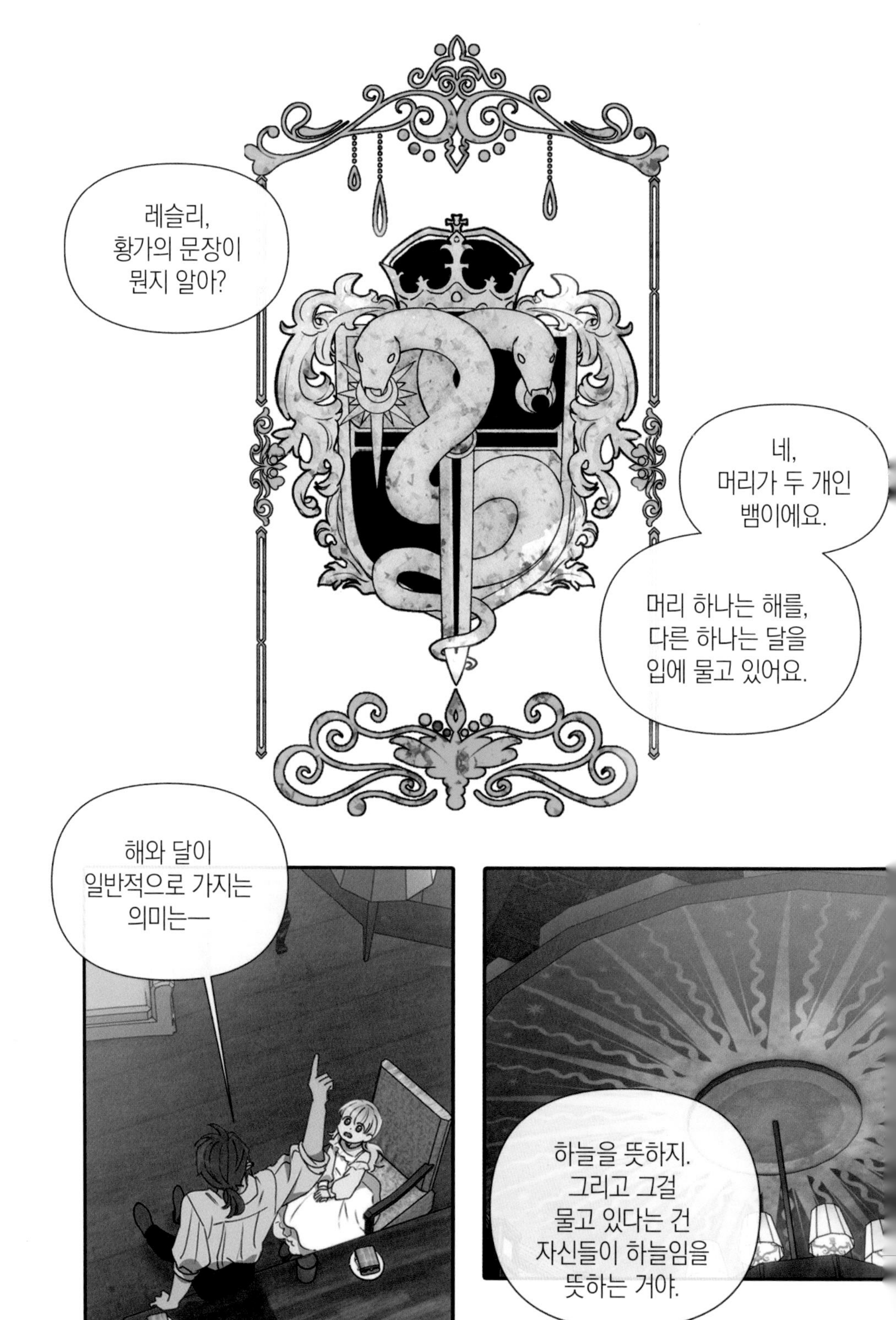
레슬리,
황가의 문장이
뭔지 알아?
네,
머리가 두 개인
뱀이에요.
머리 하나는 해를,
다른 하나는 달을
입에 물고 있어요.
해와 달이
일반적으로 가지는
의미는—
하늘을 뜻하지.
그리고 그걸
물고 있다는 건
자신들이 하늘임을
뜻하는 거야.

자신들을
하늘이라고 여길 정도로
오만한 황가인데,
우리 같은 가문은
거슬리다 못해
짜증 나겠지.
거기다 우리 성격도
만만치 않거든…
너도 어머니를
뵈었으니 알잖아?
어머니 같은 분이
누구에게 쉽게 고개를
숙일 분이 아니지.

…셀바토르 가문은 제국이 세워지기 전부터 존재해 왔고.
지금은 유일하게 특유의 힘을 잃지 않고 오히려 점점 강해지는 존재….

!
만약 셀바토르가 괴물 공작가로 불리며 두려움과 기피의 대상이 되지 않았다면.
어쩌면 황실에서 위협을 느끼고—
히끅
설마 셀바토르에서 일부러 괴물 공작가라는 소문을 퍼트린 건가요?

맞아, 10대
셀바토르 공작의
작품이야.
뭐, 우리 가문
특유의 성격과 괴력이
한몫하긴 했지!
히끅
너도 봤잖아?
다들 한 무뚝뚝한 거.
…아니에요.
다들
너무 착하시고
자상하세요.
그러니 괴물이니 뭐니
불려도 상관은 없지.
되레 황실의 관심이 줄어
다들 좋아했다고 해.
무뚝뚝하지 않아요,
괴물도 아니에요.

실례합니다,
작은 도련님.
공작님께서 부르십니다.

어머니가?

네, 두 분 다
찾고 계십니다.

무슨 일이지?
알았어, 곧 가겠다고
말씀드려줘.
툭
툭
갈까?
벌떡
네,
루엔티 님.
…
빤ㅡ
??
그런데 왜
'루엔티 님'이라고
부르는 거야?
아,

그게…
너는 어차피 우리 가문에 들어올 거잖아.
푹
네… 그렇지만 저는 아직 셀바토르의 성도 받지 못했고…
그건 어머님이 정했으니 너는 셀바토르 성을 받아 유일한 공녀가 될 거야.
안 될 거야?
셀바토르의 성이 싫어?
아니요! 될 거예요!!
그래, 넌 우리 집의 막내가 되겠지.
그러니 조금 이르게 호칭을 바꿔도 되지 않을까?
'루엔티 님'은 좀 딱딱하잖아.

달싹
…
…라버니.
…루엔티
오라버니.

그래, 우리 귀여운 막내야!

아까 콘라드 얘기가 나와서 말인데,

흔들

흔들

어머니께 말씀드려서 콘라드를 이 저택에 불러올 거야. 콘라드가 성기사인 건 이미 알고 있지?

네, 네에.

그렇다면…
제 힘 때문에
공자님을 부르시려는
거예요?
정답!
역시 똑똑해

그러면
공자님에게 제 힘을
말해야 할 텐데…
그래서 어머니께
먼저 이야길 해보려고…
숨기는 게 좋을지,
아니면 밝히고
도움을 받는 게 좋을지.

어둠이 날뛰지 않는다면
그게 가장 좋지만,
혹시 모를 대비책은
필요하니까.
…어둠은
그럴 것 같지
않은데.

그 정도의
힘이 날뛴다면
네 몸은 단 몇 분도
버틸 수 없어.
최악을
늘 가정하고
움직여야 해.

3권에서 계속

초판 1쇄 인쇄 2021년 10월 31일
초판 1쇄 발행 2021년 11월 30일

웹툰 민작
원작 리아란
펴낸이 김정수, 강준규

책임편집 오희원, 김하늘, 김가영
마케팅지원 배진경, 임혜솔, 이영선, 장선영, 박준영
편집디자인 김은선, 김희경

펴낸 곳 ㈜로크미디어
출판등록 2003년 3월 24일
주소 서울시 마포구 성암로 330 DMC첨단산업센터 318호
전화번호 02-3273-5135
팩스번호 02-3273-5134
편집 070-7863-0323

홈페이지 https://blog.naver.com/rokmediabooks
이메일 rokmedia@empas.com

ISBN 979-11-354-6487-4 07810
979-11-354-6485-0 (SET)

※파본은 구입하신 서점에서 교환하여 드립니다.
※저자와 협의하여 인지를 붙이지 않습니다.